alta mar

Aventuras

Bruño

El coleccionista de estrellas

Jordi Vives

Lista de honor Premio CCEI 1998

Ilustradora
Marina Seoane

Taller de lectura
Nieves Fenoy

Dirección editorial
Trini Marull

Edición
Cristina González
Begoña Lozano

Preimpresión
Mar Morales
Francisco González

Diseño
Inventa Comunicación

Primera edición: octubre 1997
Décima edición: enero 2007

ISBN: 978-84-216-9667-5
D. legal: M. 384–2007
Impresión: Edigrafos, S. A.

Printed in Spain

Jordi Vives

El autor

- Nació el 11 de marzo de 1950 en Barcelona.

- De pequeño era muy mal estudiante.

- Devorador insaciable de tebeos y de películas de aventuras.

- Los libros no le atraían demasiado, hasta que leyó uno. Desde entonces no ha dejado de leer.

- Un día descubrió que lo que de verdad le gustaba era contar historias.

- Este libro se incluyó en la Lista de Honor de la CCEI 1998.

altamar

De pequeño, por pereza, nunca leí un libro.
Mi padre sí que lo hacía: leía mucho. En las tardes
de verano, en el jardín, bajo la sombra de una parra,
acostumbraba a leernos en voz alta algunos
fragmentos de sus libros preferidos. Esas lecturas
de verano despertaron en mí la curiosidad por saber
más de aquellos personajes y sus vivencias,
hasta que un día leí mi primer libro.

Fue como abrir una puerta a otro mundo.
Un mundo donde todo era posible.
En él podía viajar por el espacio, pasar miedo
y ser perseguido por los piratas en la isla del Tesoro.

La puerta a este mundo siempre permanece abierta.
Si decides pasarla como hice yo, que tengas
un buen viaje.

Prólogo

EN una minúscula galaxia, cerca del lugar en el que las divertidas nubes de polvo cósmico juegan al parchís los fines de semana, el tintinear de una campana anuncia la hora del recreo a las pequeñas estrellas del parvulario estelar, finalizando así la aburrida clase sobre los «Deberes y Obligaciones de las Estrellas Educadas».

El patio, a esa hora feliz, se adorna con los bellísimos dibujos multicolores que las juguetonas estrellas tejen con sus estelas.

La maestra de las más pequeñas, una estrella ya entrada en años, de larga y oscura cola con varias puntas, se reúne con sus compañeras en una esquina del patio. Allí hablan de lo insoportables, desobedientes y descaradas que son las estrellas jóvenes de hoy día. Mientras, las alumnas, libres de la severidad de sus profesoras, corren, chillan y ríen.

Pol, la más pequeña de la guardería, imagina ser una famosa equilibrista del Gran Circo Cósmico y hace acrobacias sobre un finísimo rayo gamma, olvidando el peligro que supone jugar cerca de los profundos abismos espaciales que rodean el patio de la escuela...

El alarmante grito de pavor de la maestra paraliza los juegos de las estrellas. Sus luces multicolores se tornan de color miedo. Asustadas, miran cómo sus profesoras corren hacia un extremo del patio, dejando tras ellas luminosas estelas de peligro.

Impotentes, las maestras solo alcanzan a ver cómo el vacío, igual que una gigantesca boca negra, engulle a la pequeña estrella.

En su caída sin fin, Pol puede ver cómo, a lo lejos, las luces cada vez más distantes de sus profesoras se tornan de color tristeza; la tristeza se convierte en lágrimas, y las lágrimas, en lluvia cósmica.

1

El maestro astrónomo

LOS últimos rayos de un sol anaranjado se reflejaban en unas tímidas nubes. Las golondrinas, cansadas de sus acrobáticos y arriesgados vuelos, volvían a sus nidos. Mientras, la noche, entretejiendo sus oscuros hilos en el azulado tapiz celeste, vencía de nuevo al día. Entonces, como farolillos de una verbena cósmica, aparecieron las primeras estrellas.

Una vez más, como cada noche, el viejo Kraken subió al observatorio. Una gastada escalera, que se enroscaba en las entrañas de un alto torreón, comunicaba la casa con el observatorio. Era un lugar de reducidas dimensiones, donde reinaban el polvo y el desorden.

Mezclados con los útiles propios de un maestro astrónomo, aparecían extraños y curiosos objetos. Recuerdos de los viajes y las aventuras del viejo cuando aún era un muchacho alocado. También podían encontrarse, amontonados de forma descuidada, antiquísimos libros que había ido reuniendo a lo largo de su vida. Eran manuscritos con sugestivos títulos. En sus páginas amarillentas se revelaban los terribles secretos de los distintos cielos y sus extraños moradores. Quizá el más enigmático de ellos era el escrito por los horribles frailes locos de un monasterio perdido. En él se contaba cómo misteriosos cuerpos celestes, de formas musicales, cruzaban el cielo en las negras noches de invierno, mientras las buenas gentes dormían confiadas. Estos extraños seres, con su música hipnótica, atraían a los niños aún despiertos, llevándoselos a espeluznantes universos paralelos de los que jamás regresaban.

Kraken cerró la trampilla que daba acceso a ese lugar de recuerdos y misterios. Arqueó el cuerpo hacia atrás, oprimiendo con los puños sus castigados riñones, y fue hacia el telescopio mientras encendía su pipa labrada con extrañas formas, quemando en ella una apestosa mezcla de tabaco que solo él conocía. Accionó varias ruedecillas y manivelas y miró por el visor. Contó las estrellas, comprobando con cuidado que todas estuvieran en su lugar.

Se aseguró también de que los agujeros negros no hubiesen cambiado de color, de que los planetas giraran alrededor del Sol, de que las lunas hiciesen lo propio con sus planetas y, sobre todo, de que los cometas pasaran a su hora.

* * *

Aquella noche, una pequeña luz se desprendió del firmamento, dibujando en el cielo una delgada línea amarilla en su recorrido hacia la Tierra.

Al advertir el fenómeno, Kraken bajó apresu-
radamente por la escalera de caracol mientras
llamaba a gritos a su aprendiz.

Gruilen, que se había quedado dormido sobre
un catálogo de estrellas, se despertó sobresaltado. Le había parecido oír su nombre,
pero no estaba seguro. La estridente voz de
su maestro, llamándole de nuevo, lo sacó
de dudas.

—Ya voy, señor –se apresuró a contestar.

—¡Vamos, vamos, Gruilen, date prisa! –gritó
el viejo mientras abría la puerta que daba a la
calle.

Un aire cálido entró en la casa, trayendo consigo el canto de cientos de grillos solistas.

—¡Una estrella ha caído muy cerca de aquí!
–le gritó de nuevo, ya desde la calle–. Coge la
flauta.

Gruilen sacó rápidamente de una pequeña
arca una extraña flauta con numerosos agujeros. Según parece, tenía la extraña propiedad
de hacer brillar los cuerpos celestes con su
música.

Provistos del mágico instrumento, el viejo Kraken y su aprendiz salieron en busca del meteorito bajo la oscuridad de la noche.

Cruzaron varias calles antes de llegar a las afueras de la población. Allí siguieron por un camino que, salvando un riachuelo, serpenteaba por el paisaje hacia las negras montañas.

Se detuvieron en una pequeña colina, coronada por una frondosa higuera, para tomarse un respiro. El viejo hizo una señal a Gruilen, y este, comprendiendo el significado de aquel gesto, acercó la flauta a sus labios, haciéndola sonar. Una misteriosa melodía surgió de ella, extendiéndose por los campos. Kraken miraba impaciente a su alrededor. Por fin, a los lejos, brilló suavemente una luz.

—¡Allí está! –exclamó el viejo–. No dejes de tocar, muchacho.

Como dos sombras fantasmagóricas, se lanzaron de nuevo a través de la campiña en dirección al lejano resplandor. Tocaron la melodía varias veces más, para comprobar que avanzaban en la dirección adecuada.

Por fin detuvieron su carrera. Frente a ellos se extendía el bosque de las Ranas. Un resplandor verdoso manaba de él... y el ensordecedor croar de las ranas ponía los pelos de punta.

Gruilen, asustado, se escondió detrás de su maestro.

Sonriendo, este le preguntó:

—¿Tienes miedo, muchacho?

—No, se... ñor... –respondió Gruilen, intentando disimular el temblequeo de sus piernas.

—No debes avergonzarte por eso. Recuerda que los valientes solo son cobardes que saben disimular el miedo.

Dicho esto, y a modo de ejemplo, el maestro astrónomo se adentró en el bosque. Gruilen lo siguió tan de cerca como pudo, sujetando la flauta con fuerza para utilizarla más como arma que como instrumento musical. La marcha se hacía difícil dada la espesura de la vegetación. Por fin, tras un gigantesco árbol caído e invadido por los hongos, apareció ante ellos una luminosa laguna. De su interior brotaba un intenso brillo, moteado por grandes hojas acuáticas que parecían estar suspendidas en el aire a causa de la transparencia de las aguas. En la orilla, miles de ranas de todos los tamaños croaban sin cesar. Era un espectáculo hermoso e inquietante a la vez.

Con decisión, Kraken se despojó de sus ropas y se introdujo en el agua, nadando hacia el centro de la laguna. Allí, en el fondo, justo debajo de él, vio la estrella. Sin dudarlo un instante, se sumergió. En el primer intento solo consiguió rozarla con las yemas de los dedos. En la segunda inmersión tuvo más suerte y consiguió atraparla.

Misteriosamente, las ranas dejaron de croar. Un extraño silencio se adueñó del bosque.

Tras nadar hasta la orilla, Kraken salió del pequeño lago, ahora oscuro como la noche. De pronto se detuvo, mirando con asombro la pequeña estrella que llevaba entre sus manos.

—Es imposible… –balbuceó–; no puede ser.

Pero era cierto: la estrella palpitaba.

Kraken, el gran maestro astrónomo, había conseguido lo impensable para su colección: una estrella viva.

Gritó su entusiasmo a la noche, y las ranas volvieron a cantar, como festejando el acontecimiento.

* * *

Para la pequeña Pol, el viaje había finalizado.

2

Una magnífica
colección

EMPRENDIERON el regreso, más sosegado, en compañía de unas divertidas luciérnagas que revoloteaban a su alrededor.

El viejo Kraken, eufórico, hablaba y hablaba del afortunado hallazgo, mirando de cuando en cuando la pequeña estrella, como para asegurarse de que todo lo que había pasado era verdad. Mientras, a lo lejos, unos grillos con insomnio interpretaban una loca canción de amor.

La casa los recibió cálidamente.

El viejo astrónomo permitió al muchacho retirarse a descansar, no sin antes haber guardado la prodigiosa flauta. Cansado, Gruilen no tardó en quedarse dormido.

Kraken, por su parte, se encerró en la Sala de las Estrellas y depositó a Pol sobre una mesa destinada al estudio y la clasificación de los cuerpos estelares. Entonces tuvo lugar un fantástico fenómeno: la luz que irradiaba Pol provocó, por simpatía, que los cientos de estrellas que había en aquel lugar brillaran también. Poco después, aquellos maravillosos colores fueron perdiendo intensidad, apagándose de nuevo. Solo Pol siguió brillando.

Kraken poseía, sin lugar a dudas, la mejor colección estelar del mundo. Tenía ejemplares muy difíciles de obtener, como la estrella verde de ocho puntas, o la moteada estrella amarilla de larga cola de la constelación de Orión, o la extraña y oscura estrella de puntas desiguales de un universo paralelo... Las guardaba en urnas de cristal de variadísimas formas, clasificadas por orden astronómico, numeradas y fechadas, todo ello anotado con pulcritud en pequeñas etiquetas pegadas en lugares bien visibles.

El viejo buscó entre los recipientes vacíos uno que pudiera utilizar para su nueva adquisición. Cuando lo encontró, depositó a Pol en su interior con sumo cuidado. Después llenó la cazoleta de su pipa con aquella apestosa mezcla de tabaco y la encendió.

Entonces, ya más calmado, se sentó frente a la estrella y comenzó a mirarla fijamente.

Pol flotaba en aquella especie de pecera con aire indiferente. «No es el lugar más adecuado para guardar este importante hallazgo», pensó el viejo astrónomo. Tenía que encontrar un recipiente especial para aquella estrella viva. ¿Una esfera de cristal transparente? Sí, eso era: una esfera de cristal de grandes dimensiones que colgara del techo. Pero no disponía de un recipiente así; tendría que encargarlo, y solo había una persona que pudiese hacer algo semejante: el maestro vidriero Tronly.

El encargo

A áspera voz del viejo despertó a Gruilen.

—Vamos, dormilón; hace horas que ha salido el sol, y tenemos muchas cosas que hacer.

El aprendiz se sentó en la cama, bostezando con pereza. Kraken se sentó junto a él y, con una expresión de «esto-es-muy-serio», le dijo:

—Gruilen, no quiero que comentes con nadie lo que ocurrió ayer por la noche.

—No le diré nada a nadie, señor –contestó el muchacho, extrañado.

—Bien –dijo el viejo, poniéndose en pie–. Ah, otra cosa: ve a casa del maestro vidriero y dile que tengo un trabajo importante para él.

—Ahora mismo voy, señor.

—No lo olvides –dijo Kraken, saliendo de la habitación.

Gruilen se quitó la camisa de dormir y empezó a vestirse con rapidez. Cogió un poco de pan y queso y salió a la calle para ocuparse del encargo de su maestro.

* * *

Aquel día comieron tarde en casa del maestro astrónomo. Hastia, el ama de llaves, después de retirar la mesa preparó el té. Mientras, Kraken, sentado en un cómodo sillón, preparaba su mezcla de tabaco para la pipa. Entonces alguien llamó a la puerta. El viejo se levantó a abrir, refunfuñando por ser interrumpido en tan delicada operación. Era el maestro vidriero.

—Ah, ¿eres tú? –dijo Kraken sorprendido–. No te esperaba tan pronto.

—¿Qué mejor momento que la hora del té para hablar de negocios? –contestó sonriendo Tronly.

—Tienes razón, mucha razón –dijo el viejo, invitándole a sentarse.

Hastia no tardó en aparecer para servir el té. Con un leve gesto, Kraken indicó a la mujer que los dejara solos. Había llegado el momento de hablar seriamente con el maestro vidriero.

Aún dudaba en depositar su confianza en Tronly, pero no tenía elección. Tronly era el mejor en su oficio.

—Hace mucho tiempo que somos amigos, ¿no es cierto? –dijo Kraken, iniciando así el diálogo.

—En efecto –asintió el maestro vidriero–. Desde que éramos niños.

—¿Serías capaz de realizar en secreto un trabajo para mí?

—¿En secreto? –preguntó sorprendido Tronly, con un destello de curiosidad en los ojos.

—Sí, en el mayor de los secretos.

—¿De qué se trata?

—Quiero que fabriques una esfera de cristal transparente de este tamaño –dijo el astrónomo mientras estiraba los brazos a ambos lados tanto como podía.

—¿Tan grande?

—Sí.

—Hay un problema –indicó Tronly, acariciándose su rojiza barba–. Una esfera de este tamaño no se puede fabricar en secreto.

—Puedes trabajar aquí –propuso Kraken–, en la Sala de las Estrellas.

—¿Aquí? –reflexionó el vidriero–. Es difícil, sí..., pero no imposible. Podríamos construir un horno simple, solo para esta ocasión.

—¿Se puede confiar en tus aprendices? –interrogó el viejo astrónomo.

—Solo me ayudarán dos de ellos, y son de la máxima confianza –respondió Tronly alzando un poco la voz, indignado.

—Bien, bien... No lo pongo en duda –le apaciguó Kraken.

—Hay otro problema –dijo Tronly, aún molesto–. ¿Cómo traeremos los materiales aquí, sin levantar sospechas?

—Se podrían transportar por la noche, cuando todos duerman.

—Sí, claro, pero... ¿y si alguien nos ve?

—Es un riesgo que debemos correr.

* * *

El asunto parecía haber quedado claro en cuanto al tipo de trabajo y a cómo ejecutarlo, pero aún quedaba un punto oscuro para Tronly. ¿Por qué quería su amigo una bola de cristal tan grande? Esa duda le carcomía el estómago como un lobo hambriento. Y dado que su curiosidad podía más que sus buenos modales, preguntó sin tapujos a Kraken:

—¿Para qué quieres una esfera tan grande?

—¡Eso no es de tu incumbencia! –respondió fríamente el astrónomo.

—De acuerdo, no es de mi incumbencia –se apresuró a decir Tronly.

Lo que el viejo Kraken intentaba mantener en secreto debía de ser muy importante, pensó el vidriero, y por ello, si quería saber de qué se trataba, tendría que actuar con prudencia.

—Ven, te mostraré el lugar donde debes construir el horno.

Tronly lo siguió en silencio hasta la fantástica Sala de las Estrellas. Allí, Kraken le explicó su fabuloso proyecto, omitiendo, claro está, todo lo referente a Pol.

Tronly oía, pero no escuchaba. A través de sus ojos, su mente buscaba el motivo de tanto misterio escrutando todos los rincones, todos los objetos, todos…

—¿Qué ocultas bajo aquella tela? –preguntó inesperadamente, señalando lo que parecía una pecera cubierta por un tejido floreado.

Aquella pregunta cogió a Kraken por sorpresa; casi se atragantó. Por un instante, sus ojos perdieron la seguridad que le caracterizaba. Aquel maldito chismoso había puesto el dedo en la llaga por pura casualidad. A pesar de su desliz, el viejo recobró rápidamente el dominio de sí mismo. Pero ya era tarde. Tronly, que era perro viejo, había percibido en la vacilante mirada de su amigo que bajo aquella tela se ocultaba su secreto.

Irritado, Kraken respondió:

—No escondo nada, maldito curioso.

—Está bien; no te pongas así… –dijo con falsa indiferencia el maestro vidriero–. ¿Crees que me importa saber lo que ocultas aquí? –añadió, colocando la mano sobre la tela que cubría la pecera.

—Claro que no debe importarte lo que escondo en… –Kraken calló de pronto. Había caído en un nuevo descuido.

—Entonces, es cierto: ocultas algo aquí dentro –dijo con una pícara sonrisa el maestro vidriero.

—¡No! ¡Maldita sea! ¡No oculto nada! –vociferó Kraken, viendo que el asunto se le escapaba de las manos.

—De acuerdo; te creo –mintió Tronly–. No hay nada bajo esta tela.

Y, sin que el viejo Kraken pudiera reaccionar, tiró de ella...

Pol quedó al descubierto.

—¡Maldito metomentodo! –aulló Kraken, agarrándole por el cuello con la intención de estrangularlo.

—Pero... ¿qué es esto? –preguntó Tronly, haciendo caso omiso de las intenciones de su amigo–. Parece una estrella... ¡viva!

Kraken claudicó. Ya no podía hacer nada para enmendar la situación. Aquel entrometido había descubierto su secreto.

4

La palabra rota

L viejo, enojado por lo tonto que había sido, se dejó caer en uno de los sillones de la Sala de las Estrellas. Encendió su pipa y aspiró el humo con rabia. Tronly, maravillado aún por la visión de Pol, se sentó frente a él.

Los dos permanecieron en silencio un buen rato, hasta que Kraken, con el ceño fruncido, lo rompió:

—¿Qué piensas hacer ahora?

—Nada que tú no desees –respondió Tronly, tratando de tranquilizar a su amigo.

—Lo que deseo es que nadie se entere de la existencia de esa estrella.

—No lo entiendo. Ahora que tienes en tus manos la oportunidad de ser el astrónomo más famoso de la tierra, ¿quieres dejarla pasar?

—A mi edad ya no me interesa la fama, amigo mío, sino la tranquilidad. Tranquilidad para estudiar con sumo detalle esa maravilla y desvelar sus secretos; para disfrutar de su belleza el poco tiempo que me queda de vida y, aunque parezca egoísta, para alimentar mi orgullo de coleccionista al saber que poseo una pieza única –Kraken, sereno, hizo una pausa para aspirar de nuevo la apestosa mezcla de tabaco de su pipa y prosiguió–: No quiero que la casa se llene de locos y curiosos. Ni deseo ser la víctima de intrigantes sin escrúpulos que intentarían sacar provecho de mi estrella. No. Quiero que guardes silencio sobre este asunto. Nadie debe enterarse de la existencia de la estrella.

—No consigo comprenderte, pero puedes estar tranquilo. Mantendré la boca cerrada.

La conversación se dio por finalizada. Acordaron el día en que empezarían los trabajos y se despidieron.

Pero, ¡ay!, a pesar de sus sinceras promesas, Tronly no era capaz de guardar un secreto demasiado tiempo…

De camino al taller se encontró con un grupo de amigos que tomaban el fresco de la tarde.

Quizá por presumir, Tronly les contó que el viejo astrónomo le había encargado un trabajo de cierta importancia. Un trabajo difícil, que pondría a prueba su habilidad como vidriero.

Picados por la curiosidad, intentaron sonsacarle más información, y las vagas respuestas de Tronly solo consiguieron aumentar el misterio. Consciente de haber metido la pata, se negó a seguir hablando más de aquello, alegando que lo tenía prohibido. Aquella negativa avivó aún más la curiosidad de todos, y las inocentes preguntas del principio se volvieron ahora agudas y punzantes.

Tronly, cada vez más confuso, se rindió por fin ante la insistencia de sus colegas. Y, suplicando que nadie divulgara lo que allí iban a oír, rompió la palabra dada.

* * *

Como era de esperar, la noticia llegó a oídos de otros, que también prometieron no decírselo a nadie, y se extendió tan deprisa como solo puede hacerlo un secreto mal guardado.

Poco antes de la puesta de sol, todo el mundo en la ciudad sabía que Kraken, el maestro astrónomo, poseía una estrella viva.

Justo a la hora de la cena alguien llamó a la puerta de Kraken. Hastia, malhumorada por ser interrumpida en los quehaceres de la cocina, fue a abrir.

Era una comitiva de altas personalidades encabezadas por el alcalde, un hombre grueso, bajito y con la nariz en forma de patata.

—Hastia, dile al maestro que deseamos verle –dijo el alcalde, a la vez que se secaba la frente con un pañuelo.

De mala gana, el ama de llaves los hizo pasar al amplio recibidor y, con paso lento, fue a dar el recado a Kraken.

Al poco rato, este apareció seguido por su curioso aprendiz. Los dos parecían extrañados ante tan distinguidas visitas.

El alcalde se dirigió al viejo astrónomo con gran solemnidad:

—Amigo mío, a propuesta de un distinguido grupo de ciudadanos –y señaló a sus acompañantes– me ha sido concedido el honor de comunicarte que, por la importante labor realizada en pro de la ciencia astronómica, has sido nombrado «hijo predilecto de la ciudad».

—Debéis perdonarme, distinguidos señores, pero no entiendo de qué me estáis hablando –se disculpó Kraken, perplejo.

—¡Ja, ja, ja! –rió el alcalde–. Sabes muy bien a qué nos referimos, amigo mío: a esa estrella viva que posees.

Kraken creyó que la tierra se abría bajo sus pies. Tronly, aquel maldito chismoso, se había ido de la lengua en un tiempo récord. No podía creerlo.

—Gracias a esa estrella, y a ti, claro, esta ciudad será famosa en todo el mundo –prosiguió el alcalde–. Será una época de esplendor para Breislem.

—Construiremos un gran museo para la estre… ¡ay! –intentó decir el secretario del Ayuntamiento, antes de ser interrumpido por un codazo en las costillas propinado por el alcalde.

Reprimiendo su cólera, Kraken intentó convencer a los presentes de lo falso de la noticia improvisando con rapidez. Pero ya era demasiado tarde. Su secreto se había extendido más de lo que podía imaginar. Otra persona llamó a la puerta. Era el maestro físico, acompañado por su familia. Habían venido a admirar la estrella del viejo astrónomo.

Kraken se derrumbó. Por culpa del chismoso de Tronly todos sus planes se venían abajo. Abatido, se retiró a su habitación, no sin antes pedir a su aprendiz que mostrara la estrella a todo aquel que se lo pidiese.

Los curiosos no dejaron de acudir a casa del viejo astrónomo hasta bien entrada la noche.

5

El primer contacto

LOS días siguientes fueron de gran actividad en casa del maestro astrónomo. Los aprendices de Tronly entraban y salían, bajo las airadas protestas de Hastia, llevando diversas herramientas. El trabajo avanzaba con celeridad, aunque no tan deprisa como hubiera querido el viejo Kraken.

De cuando en cuando, el maestro vidriero aparecía por la casa para cerciorarse de que todo marchaba según sus indicaciones, procurando no toparse con la furiosa mirada de Kraken, que, todavía resentido, dudaba entre retorcerle el cuello o patearle el trasero.

El maestro carpintero y dos de sus aprendices se sumaron al trabajo. Ellos construirían el entarimado que iba a sujetar la gigantesca esfera cerca del techo.

Aquel caos ponía enfermo a Kraken.

Preocupado por el peligro que corría su colección de estrellas con todo aquel follón, decidió trasladarla a un sitio seguro, y pensó que el más idóneo sería el observatorio. En cuanto a Pol, consideró que la habitación de Gruilen era el mejor lugar. Esta decisión encantó al muchacho, que ahora podría observar, de cerca y con tranquilidad, el misterioso cuerpo celeste.

Otra de las resoluciones que tomó Kraken, a pesar de las protestas, fue prohibir las visitas de los curiosos, no sin antes prometer, muy a disgusto, que solo se trataba de una medida temporal a causa de las obras.

Feliz con su compañera de habitación, Gruilen empezó a experimentar por la estrella un cariño parecido al que siente un niño por su osito de peluche, y casi sin darse cuenta, poco a poco comenzó a hablarle de sus cosas.

Cierta noche, una tormenta veraniega sorprendió a Gruilen de regreso a casa. Espantosos rayos de múltiples brazos, igual que gigantescos ciempiés luminosos, rasgaban el oscuro cielo. Las descargas eléctricas, con su cegadora luz, saltaban de un lugar a otro ejecutando los pasos de un baile siniestro. Y cuando parecía que todo aquel caos llegaba a su fin, un trueno ensordecedor hacía temblar la tierra.

Gruilen corrió entre los charcos de las calles, perseguido por el monótono ruido de la lluvia que, tras rebotar en las hojas de los árboles, se deslizaba por los tejados.

El miedo se había apoderado del corazón del muchacho. Sus pasos se volvían más rápidos con cada rayo, con cada trueno, con cada centella…

Por fin llegó a casa. Estaba a salvo.

—¡Gruilen, muchacho! –exclamó Kraken al verle aparecer calado hasta los huesos.

Temblando, Gruilen se abrazó a él con fuerza. El viejo cerró la puerta, dejando fuera el espanto.

Pálido y aún tembloroso, Gruilen se dejó envolver por el agradable calor de la casa. La seguridad de sus paredes tranquilizó su corazón.

La vieja Hastia le llevó toallas, ropa seca y un brebaje que, a pesar de su mal sabor, resultaba bastante eficaz para los sustos y los resfriados. Kraken encendió el fuego de la chimenea, y cuando las primeras llamas empezaron a chisporrotear, Gruilen cambió sus ropas mojadas por otras secas. Después, Hastia le secó los cabellos mientras susurraba una antigua balada. Afuera, la tormenta se alejaba y, con ella, el terror.

El ama de llaves acompañó al aprendiz hasta su habitación, alumbrando con un candil los oscuros pasillos de la casa. Gruilen se acurrucó bajo las sábanas, y la tenue luz que irradiaba la estrella se reflejó en su cara.

La vieja Hastia lo arropó con mimo, le besó en la frente y, cerrando la puerta con cuidado, lo dejó solo.

Gruilen aguzó el oído para cerciorarse de que la tormenta se alejaba, pero un último y estruendoso trueno lo sobresaltó, reavivando la inquietud en su corazón. En ese instante, la mortecina luz que emanaba de Pol aumentó de intensidad, inundando la habitación con un apacible resplandor azulado. Gruilen se asustó aún más; no entendía lo que estaba pasando. Entonces, una agradable sensación de «todo-va-bien» se deslizó por su mente, apaciguando su temor.

Y, sin darse cuenta, se durmió tranquilamente.

* * *

Los intensos rayos de sol entraban a raudales por las fisuras de la contraventana, dejando que saltarinas motas de polvo juguetearan con ellos.

Sin abrir los ojos aún, Gruilen se desperezó como un gato. Después saltó de la cama y volvió a estirarse antes de abrir la ventana de par en par, dejando que la dorada luz del nuevo día entrase en la habitación. El olor a hierba flotaba en el aire. La terrible tormenta había lavado los edificios, barrido los caminos, abrillantado las flores y desempolvado las montañas. Era una hermosa mañana.

El joven Gruilen se sentía feliz. Tarareando una alegre canción empezó a vestirse, cuando... algo cruzó por su mente. Sobresaltado, miró a su alrededor. Allí no había nadie más que él. De nuevo experimentó aquella extraña sensación dentro de su cabeza, ahora un poco más fuerte. Confuso, miró a Pol, preguntándose si ella sería la causa de aquel hormigueo en su cerebro. Se acercó con cautela a la pecera donde estaba la estrella. Sus dedos se posaron sobre el cristal y, con un hilo de voz casi imperceptible, le preguntó:

—¿Eres tú quien está hablándome?

La estrella no contestó, y Gruilen se sintió ridículo. «Es de imbéciles preguntar algo a un cuerpo celeste, y aún más esperar una respuesta», pensó enojado. Decepcionado, dio media vuelta, dispuesto a abandonar la habitación. De repente, una avalancha de caóticas imágenes golpeó brutalmente su cerebro, haciéndole caer al suelo.

El joven aprendiz, como un náufrago en el mar del vértigo, se aferró a la cama, temiendo ser absorbido por aquel torbellino luminoso que giraba en su mente. Después de interminables segundos, aquel horrible tiovivo se detuvo. Entonces, de un modo menos violento, en el cerebro de Gruilen aparecieron imágenes increíbles: el parvulario estelar, el largo viaje a través de multitud de universos, de extrañas constelaciones...

Aturdido, se levantó del suelo. Su mente estaba vacía. Las imágenes habían desaparecido.

—¡Demonios! ¿Cómo has logrado hacer eso? –preguntó dirigiéndose a Pol.

La estrella no respondió.

—¡Vamos! ¡Dime algo! –insistió Gruilen.

Pero Pol siguió sin responder.

«Debe de haber algún medio de comunicarme con ella...», reflexionó el muchacho.

La aguda voz de Hastia lo sacó de sus pensamientos:

—Vamos, chico, ya es hora de levantarse.

—Ya voy, Hastia —se apresuró a responder Gruilen—. Y tú, no te muevas de aquí —le susurró a la estrella. Había decidido no hablar de aquello con nadie, al menos por el momento.

El día transcurrió con normalidad. Los trabajos proseguían en la Sala de las Estrellas, donde se fabricaba el horno especial para fundir el vidrio. Gruilen ayudó a su maestro a consultar los polvorientos libros de siempre, a limpiar las lentes del telescopio, a hacer un par de encargos y alguna cosilla más.

Acabada su tarea, corrió al encuentro de Pol. Se sentó frente a ella y, cruzando los brazos sobre el pecho se preguntó, por centésima vez aquel día, cómo lograría comunicarse con la estrella. Pero, por más vueltas que le daba, no encontraba la manera. Furioso, golpeó la mesa donde se encontraba Pol. De inmediato, le inundó un sentimiento de temor.

Gruilen comprendió que su brusco impulso había asustado a la estrella. Arrepentido, la miró con dulzura, pensando: «No tengas miedo, no quiero hacerte daño».

La sensación de temor desapareció.

—¡Cielos! –gritó sorprendido–. ¡Esta vez me ha entendido! Pero ¿cómo? Si no he abierto la boca, solo lo he pensado...

Entonces un brillo especial chisporroteó en sus ojos, y el inicio de una sonrisa acabó en una estruendosa carcajada. Gruilen había encontrado la solución.

—¿Cómo no se me habrá ocurrido antes...? Kraken tiene un libro que habla sobre ello. Se trata de un fenómeno con un nombre muy raro, algo así como tere... tele... telepatía... ¡telepatía! ¡Eso es! –gritó entusiasmado, saltando de la silla y moviendo los brazos como si fueran aspas de molino–. ¡Telepatía! –repitió entre risas y brincos–. ¡Telepatía!

De pronto se detuvo y su sonrisa desapareció. «¿Y si no estoy en lo cierto?», se preguntó dubitativo. Debía averiguarlo. Se concentró en mirar a Pol con dulzura, dejando que un pensamiento de afecto tomara forma en su mente. De inmediato llegó la respuesta, y su cerebro se inundó de un sentimiento recíproco de amor. Gruilen se sintió feliz. La telepatía funcionaba...

6

Sebástian, el mercader

UNA pomposa y altisonante música de trompetas y tambores llegó con el nuevo día. Fabulosos tamborileros y trompeteros encabezaban una larga comitiva que penetró en la ciudad serpenteando por sus estrechas calles. Seguía a los músicos una corte de lacayos, vestidos con lujosos y exóticos ropajes. Detrás, una veintena de engalanados bueyes tiraba de un gigantesco carruaje. Más que un carruaje, era una enorme casa que se deslizaba sobre unas colosales ruedas de madera, reforzadas con gruesos hierros forjados por imaginativos herreros. La casa-carro estaba construida con finas maderas hábilmente labradas, marfiles tallados con pulcritud y barrocos adornos de oro y plata, todo ello rematado con abundantes piedras preciosas de variadísimos colores.

Sombríos soldados armados hasta los dientes escoltaban aquel fantástico y rico carruaje.

Caras soñolientas y perplejas asomaron por las ventanas de las casas al paso de la comitiva, preguntándose quiénes podían ser aquellos extranjeros que tantos lujos mostraban.

Rápidos rumores pasaron de boca en boca, propagados por aquellos que, presos de una enfebrecida curiosidad, habían saltado de sus camas para seguir a tan misterioso séquito.

Por fin, la caravana, seguida por una multitud de curiosos, llegó al centro de la población. Allí esperaban las más altas autoridades, encabezadas por el alcalde. Alguien les había avisado rápidamente de tan distinguida visita.

Uno de los jinetes, el que parecía el capitán, tras desmontar de su cabalgadura se acercó a ellos. Sus palabras produjeron un mal disimulado nerviosismo. Después de discutir entre ellos, los representantes de la autoridad siguieron al soldado hasta el interior de la casa-carro.

Después de un tiempo que resultó eterno para la expectante multitud, salieron del extravagante vehículo. Un murmullo de asombro los recibió, pues con ellos iba el personaje más admirado, envidiado y también odiado de las tierras de Breislem: Sebástian, el mercader.

Era un hombre grueso, de baja estatura y gestos amanerados; sus ropas de seda eran holgadas y de vivos colores, y en sus dedos lucía joyas de exquisita pedrería, así como en su cuello y orejas.

El pequeño grupo se dirigió hacia la casa del maestro astrónomo. Dos corpulentos soldados les abrían paso entre la multitud. Después de cruzar algunas calles y una plazoleta, llegaron a la morada de Kraken. Uno de los soldados golpeó la puerta con la empuñadura de su espada. Al no obtener respuesta, volvió a llamar con impaciencia. Al poco rato, con un interminable chirrido, la puerta se abrió y la cara soñolienta de Gruilen asomó tras ella.

El alcalde, con un hilo de voz que apenas llegaba a salir de su garganta, le dijo:

—¡Corre, muchacho! Ve en busca del maestro astrónomo. Sebástian está aquí…

Gruilen corrió a transmitir el mensaje mientras Hastia invitaba a entrar en la casa a tan importante comitiva. Los dos soldados se quedaron fuera, custodiando la puerta.

Kraken apareció enseguida, despeinado, y atándose aún la bata con el mal humor reflejado en su rostro.

—¿Qué demonios pasa? –gruñó.

El alcalde se acercó rápidamente a él para cuchichearle algo al oído. Una sonrisa irónica iluminó la cara del viejo astrónomo. Entonces, con sorprendente serenidad, se acomodó en su sillón preferido frente al rico mercader, mirándole desafiante a los ojos. Sebástian no era santo de su devoción. No podía ocultarlo.

—¿A qué se debe tanto honor? –preguntó Kraken con tono sarcástico.

Sebástian fue directo al grano; no podía perder tiempo:

—Sé que tienes una estrella viva.

—¿Y...?

—Quiero comprártela.

—No está en venta –respondió de inmediato el viejo.

—Piensa, pobre maestrillo, que te daré lo que me pidas –dijo el mercader, en un intento de humillar a Kraken por su escasa fortuna.

—No está en venta –repitió el astrónomo sin inmutarse.

—Te daré el doble de lo que me pidas –ofreció Sebástian, dando por sentado que el dinero lo puede todo.

—La estrella no está en venta y no tengo nada más que decir –zanjó Kraken poniéndose de pie, ante el estupor de los presentes–. Y no quiero ser descortés –continuó–, pero mi oficio me obliga a permanecer toda la noche despierto, así que desearía volver a la cama.

La tensión contenida se palpaba en el ambiente. Sebástian, abochornado, se levantó de su asiento esbozando una sonrisa inquietante. Sus ojos se cruzaron con los del viejo astrónomo en una mirada amenazadora:

—De acuerdo, Kraken… Permaneceré unos días en este miserable lugar por si cambias de idea, lo cual te aconsejo por tu bien…

Kraken recibió en silencio el «consejo» del mercader. Sabía que sus palabras eran una amenaza. Nada detendría a Sebástian si se proponía conseguir la estrella. Pero él no le temía.

El pequeño pero importante grupo se marchó y la casa volvió a quedar en silencio.

* * *

El viejo Kraken regresó a la cama e intentó conciliar el sueño interrumpido, pero fue en vano. Las veladas amenazas de Sebástian habían penetrado en aquel rincón del alma donde guardamos los temores, y estos habían aflorado. Ahora estaba inmerso, sin quererlo, en un peligroso juego. Un juego cuyas reglas dictaba el caprichoso mercader y del cual no había escapatoria.

Por su parte, Gruilen se encerró en su habitación y echó el cerrojo. En un ingenuo gesto de proteger a Pol de las garras de Sebástian se apoyó de espaldas en la puerta, dejando escapar un largo suspiro. El mercader lo había atemorizado de verdad. No permitiría que se llevara su estrella. Aquella idea le producía escalofríos. Pol formaba parte de él: era como una extraña simbiosis entre un chico y una estrella.

Aquella tarde Gruilen advirtió que algo raro le ocurría a Pol. Su luz era mortecina. Se acercó a ella y, de repente, un resplandor emanó de la estrella, envolviendo al muchacho. Una terrible sensación de nostalgia penetró a través de los poros de su piel, llenando su corazón de tristeza. Un corazón demasiado pequeño para albergar toda la melancolía de una estrella. El dolor le oprimía el pecho cuando miles de soles estallaron dentro de su cabeza, seguidos de una interminable lluvia plateada. Pol estaba llorando. La desesperación se había apoderado de ella.

Sus sueños de volver al espacio se habían desvanecido. Jamás brillaría en el firmamento; jamás correría detrás de los rápidos cometas; jamás se deslizaría por los encerados anillos de los grandes planetas…, jamás…, jamás… Era prisionera de la gravedad de un mundo extraño, y de sus habitantes. Una situación desesperada, sin futuro, sin esperanza. Pronto sería otra estrella sin vida en aquel cementerio estelar del que Kraken se sentía tan orgulloso.

Gruilen sintió que se le partía el corazón. Ahora se enfrentaba a algo mucho más terrible que las amenazas de Sebástian: la agonía de Pol.

Impotente, sin saber qué hacer, Gruilen también lloró.

7

El horno se pone en funcionamiento

EL sol calentaba el lomo de las lagartijas cuando apareció por la casa el maestro vidriero. Unos jóvenes aprendices le acompañaban, cargados con leños secos y resinosos. El horno ya estaba terminado e iban a ponerlo en funcionamiento.

Siguiendo las instrucciones de Tronly, los aprendices más aventajados mezclaron con sabia proporción la arena, la cal, la sosa, la potasa y algún que otro producto del recetario secreto del maestro vidriero. Después embutieron aquella mezcla en un crisol abierto, de paredes refractarias, y la introdujeron en el interior del horno.

Beally, una bonita muchacha, se encargó de llenar el horno con leña para después encenderlo. Poco a poco empezó a calentarse.

Kraken observaba admirado la precisión en el trabajo de aquellos aprendices. Eran como una máquina bien engrasada en la que cada pieza, por insignificante que fuera, cumplía perfectamente su cometido.

Acuclillado en un rincón, ajeno a cuanto le rodeaba, Gruilen pensaba en cómo podría ayudar a la estrella. No era un problema fácil de resolver para un chico de su edad.

El horno era alimentado con regularidad, y su temperatura aumentaba. Gruesas gotas de sudor resbalaban por la piel de los trabajadores y trabajadoras, empapando sus ropas.

Druss, un aprendiz delgado, sofocado por el calor, se desvaneció. Sus compañeros lo sacaron al aire fresco de la tarde.

Un fuerte olor indicó que la temperatura del horno había alcanzado su grado máximo. El vidrio se estaba formando.

El sol, cansado de brillar, bostezaba en el horizonte cuando Tronly dio por terminado el día de trabajo. Solo dos aprendices se quedaron en la casa para vigilar el horno aquella noche.

Gruilen les hizo compañía.

* * *

Las voces y los ruidos le despertaron. Se frotó perezosamente los ojos. Abrió primero uno, después el otro, y vio que todo estaba de nuevo en danza.

La fusión se había realizado, pero la masa aún estaba demasiado caliente para trabajarla.

Tronly ordenó reducir al mínimo la entrada de aire en el horno. Así bajaría la temperatura y el vidrio adquiriría el estado perfecto.

Al ver que aquello iba para largo, Gruilen abandonó la Sala de las Estrellas y salió a la calle. Todavía no había encontrado el modo de ayudar a Pol. Quizá porque, en el fondo, se resistía a hacerlo. Le entristecía la idea de separarse de la estrella, aunque esto supusiera la muerte para ella. Era un terrible dilema y tenía que tomar una decisión antes de que fuera demasiado tarde.

Cabizbajo, se dejó llevar por la multitud que llenaba las calles, hasta desaparecer entre ella.

Pasaron varias horas antes de que regresara. En su mirada se podía adivinar que había tomado una determinación y que la llevaría a cabo con todas sus consecuencias.

Kraken le gritó desde la puerta, malhumorado:

—¡Demonio de crío! ¿Dónde te habías metido? ¡Vamos, deprisa! ¡Tronly va a soplar el vidrio!

En efecto, era el momento en que el maestro vidriero debía poner a prueba su habilidad. La masa, en estado líquido, había alcanzado el grado de fluidez perfecto para trabajar sobre ella.

Con serenidad, Tronly cogió la caña de vidriero por uno de sus extremos y la sumergió en el vidrio líquido. La expectación era total.

Solo la alegre tonadilla que silbaba Tronly rompía el solemne silencio. Giró la caña un par de veces alrededor de su eje, manteniéndola vertical, y la sacó del crisol. Después de solidificarse el vidrio, volvió a introducirla para recoger una nueva porción, haciéndola girar otra vez. Repitió la operación hasta que tuvo, en el extremo de la caña, la cantidad de masa que necesitaba. Luego, moviéndola a uno y otro lado sobre una placa de hierro, la repartió de modo uniforme.

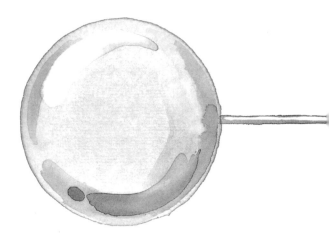

Introdujo entonces el extremo de la caña en el horno, para que se volviera a calentar el vidrio adherido a ella... y dejó de silbar. Llenó sus pulmones de aire y sopló con fuerza, repetidas veces, por el otro extremo. Una pequeña cavidad apareció en la masa de vidrio. La calentó de nuevo y volvió a soplar.

El pequeño hueco se agrandó hasta convertirse en una bola diminuta. Giró la caña para que la fuerza de la gravedad no la deformara, calentándola antes para volver a soplar.

Cada vez que repetía la operación, la esfera aumentaba de tamaño. Todos contenían la respiración, pues la bola había alcanzado tal proporción que era muy fácil que se rompiera.

Esto no preocupaba a Tronly, que hacía su trabajo con una tranquilidad pasmosa.

Por fin, la bola alcanzó el tamaño deseado por Kraken. Tronly había conseguido una esfera perfecta, de puro cristal transparente y con un grosor igual en todos sus puntos.

Entonces se separó de la caña y, ayudado por sus aprendices, la introdujo en el horno de recocido para que se enfriara. La alta temperatura del vidrio debía descender lentamente hasta alcanzar la del ambiente, ya que, si la operación se realizaba de forma brusca, la esfera podía romperse.

Una ovación estalló en la sala. Todos se abrazaron, felicitándose por el éxito. Tronly había demostrado una vez más que su fama era bien merecida.

El viejo Kraken elogió efusivamente al maestro vidriero por la perfección de su obra.

Visiblemente emocionado, Tronly le dijo:

—Bien, viejo cascarrabias: dentro de unos días sacaremos esa obra maestra del horno de recocido y habremos terminado el trabajo.

—Eres muy bueno en tu oficio, maldito bribón –bromeó Kraken–. Lástima que no lo seas también guardando secretos.

Tronly soltó una estruendosa, larga y contagiosa carcajada que sirvió como detonante para que todos lo imitaran.

Gruilen aprovechó aquel momento para hablar con Percy, un muchacho regordete de cabellos oscuros.

—Tengo un recado para Crish –le dijo en voz baja–. ¿Vas a verlo esta noche?

—Si es para algo importante, lo intentaré –contestó Percy–. Su casa me pilla de camino.

—Necesito la ayuda del gremio de aprendices. Quiero que se convoque una reunión para mañana por la noche.

—Le llevaré el mensaje.

Las risas duraron hasta convertirse en bostezos. Todos se sentían cansados. Aquel había sido un día muy duro. Se despidieron del maestro astrónomo y todos se fueron a casa a descansar.

La noche
de las conjuras

POR la mañana, los aprendices de Tronly volvieron a casa de Kraken. Percy también llegó con ellos.

Gruilen les abrió la puerta, esperando ansiosamente la respuesta de Crish.

Separándose del grupo, Percy se acercó a Gruilen.

—Ayer hablé con Crish –le susurró.

—¿Y...?

—Ha convocado una reunión especial para esta noche, a las doce –dijo Percy–. Procura ser puntual.

—Lo seré.

La voz de Kraken los interrumpió. Estaba de muy mal humor.

—¡Maldito desorden! –refunfuñaba el viejo, esquivando objetos extraños y aprendices desconocidos–. Ya no sé dónde tengo la cabeza. Por culpa de todo este lío, estoy olvidando mis obligaciones como maestro astrónomo. Gruilen, muchacho –llamó más calmado–: Bájame de la torre el libro de *Horarios y rutas de los cometas solitarios.*

Gruilen subió al observatorio, recogió el libro y bajó en un santiamén.

—Veamos –dijo Kraken, hojeando el libro–. Aquí está. Ya me parecía a mí que olvidaba algo. Mi viejo amigo Zbrich cruzará el cielo dentro de unos días. La última vez que nos visitó fue hace veinte años. No quisiera dejar de saludarlo por culpa de todo este follón.

Los ojos de Gruilen se iluminaron al escuchar las palabras de Kraken. Una idea le había pasado por la cabeza. Y no era mala.

* * *

Aquella noche, oscura y sin luna, un misterioso jinete cruzó en silencio las calles de Breislem. La cálida brisa se helaba a su paso. Al llegar a la plaza principal, dos sombríos soldados le dieron el alto. Un pequeño fuego proyectaba sus sombras saltarinas sobre la casa-carro. El jinete de la noche desmontó lentamente de su cabalgadura. En sus fríos ojos se reflejaban las agitadas llamas. Con ambas manos, echó hacia atrás la capucha que le cubría la cabeza, mostrando la roja víbora del gremio de los asesinos tatuada en su frente.

Los soldados retrocedieron instintivamente.

Con voz siseante, el enigmático personaje se dio a conocer:

—Soy Zerec, el más grande de los criminales.

Al oír aquel nombre, sus caras palidecieron. Y el terror penetró en sus duros corazones.

—Tu señor me espera –le dijo al más alto de los soldados–. Llévame ante él.

—A... a... ahora mismo, se... señor –tartamudeó el soldado, indicándole el camino.

* * *

Justo en ese instante, otra sombra, más pequeña y menos inquietante, se deslizaba por las solitarias calles hasta detenerse frente a una destartalada puerta.

La sombra golpeó tres veces la rancia madera; después de unos segundos, volvió a golpearla dos veces más.

La puerta se abrió con un lastimero e inacabable chirrido.

—Te has retrasado, Gruilen –le reprendió el aprendiz-portero.

—Lo siento. Kraken me ha tenido ocupado hasta hace poco –se excusó–. ¿Han llegado los demás?

—Sí, están todos –respondió el aprendiz-portero mientras bajaba por unos desgastados escalones.

Al final de la escalera, una puerta daba entrada al sótano. Allí, gran número de aprendices, sentados desordenadamente sobre cajas y barriles, le esperaban ansiosos.

La tenue luz de las velas daba al lugar un ambiente misterioso. Extraños objetos colgaban de sus paredes. Presidía la estancia un enorme

estandarte negro, con una rosa roja y un trián-
gulo equilátero
en el centro.

Gruilen avanzó hasta situarse en el centro del subterráneo. Un pequeño barril le sirvió de asiento.

Crish, el presidente de la asociación de aprendices, un muchacho de cabellos desaliñados, se puso en pie y preguntó a Gruilen:

—¿Y bien? ¿Para qué has convocado esta reunión?

Gruilen miró en silencio a su alrededor. Siempre le había dado vergüenza hablar en público, pero esta vez tenía que sobreponerse a ello. Pol dependía de él.

—La he convocado para pedir la ayuda del gremio.

—¿En qué podemos ayudarte? –preguntó Maisler, una aprendiza de joyería.

—Todos conocéis la historia de la estrella viva de Kraken –al ver que la mayoría asentía, Gruilen continuó con voz titubeante–: Pero lo que nadie sabe es que he conseguido comunicarme con ella.

Una exclamación de estupor sacudió el sótano.

* * *

Zerec entró en una gran estancia, decorada con numerosos cortinajes de sugestivos dibujos. Se acercó al mercader y le saludó a la usanza oriental.

—De nuevo a vuestro servicio, excelencia –dijo Zerec con una sonrisa torcida.

—No seas tan ceremonioso, amigo mío –replicó Sebástian, que estaba recostado sobre unos grandes cojines de seda–. Sírvete tú mismo una bebida y ven a mi lado; tenemos que hablar.

Mientras llenaba una alargada copa con un fuerte licor azulado, Zerec preguntó:

—¿Para qué sucio trabajo me habéis llamado?

—Se trata de una simple ratería –respondió el mercader–. Tan simple, que cualquiera de tus aprendices podría realizarla sin dificultad.

—Entonces… ¿por qué yo?

—¡Es por la mercancía! ¡No puedo dejar en manos inexpertas algo tan valioso y exquisito! –exclamó Sebástian, gesticulando con sus enjoyadas manos–. Supongo que habrás oído hablar de la estrella viva…

—Algo escuché sobre ello en las cochambrosas tabernas de Espiber, pero no di crédito a esa inverosímil historia –comentó Zerec, acercando la copa a sus labios para sorber un poco de aquel raro licor.

—Hiciste mal, amigo mío. La historia es cierta; no es una invención de marineros borrachos. Y su poseedor, un pobre y necio anciano, no quiere desprenderse de ella –se lamentó Sebástian–. Deseo hacerme con la estrella, y ese es tu trabajo. No me importa cómo lo lleves a cabo, pero quiero que la robes para mí. Te daré cuanto pidas.

Una sonrisa malévola se dibujó en la cara de Zerec.

—Consideradla vuestra –aseguró el maestro de los criminales.

—Eso espero.

Zerec levantó su copa y la vació de un trago. Después, la lanzó contra el suelo, rompiéndola en mil pedazos.

El negocio quedaba sellado.

A los soldados que estaban de guardia se les pusieron los pelos de punta al oír las siniestras carcajadas que salieron de la casa-carro.

* * *

Cuando las voces se acallaron, Gruilen continuó su relato.

—En realidad, nos hemos comunicado pocas veces. Y no siempre he podido comprender las extrañas cosas que dice. Nos entendemos a través de sensaciones, mentalmente, no por palabras. En la última «conversación», el mensaje fue muy claro –Gruilen hizo una pausa, tragó saliva y continuó–: La estrella se muere.

Aquellas terribles palabras entristecieron el corazón de los oyentes.

—Pero… ¿por qué? –preguntó uno que no pudo reprimir su pena.

—La estrella ha perdido toda esperanza de volver al espacio. Se siente atrapada en nuestro planeta. Y la tristeza la está matando. Su luz es cada vez más débil. Si sigue así, no creo que viva mucho tiempo.

—Lo que cuentas es terrible –dijo Crish, rompiendo el silencio que se había adueñado del sótano–. ¿Pero qué podemos hacer nosotros?

Gruilen le miró a los ojos y, con voz decidida, le respondió:

—Ayudadme a devolverla al espacio.

—Pero... ¡eso supondría violar varias normas de la ley del gremio de aprendices! –gritó exaltado Lims, secretario y aventajado aprendiz de abogacía.

—Sí, así es.

—Nos estás pidiendo que robemos la mejor pieza de la colección de tu maestro y la mandemos de vuelta al espacio. ¿Te das cuenta de lo que significa eso? –dijo Lims, sin acabar de creérselo.

—Sí.

—¿Por qué no se lo cuentas a Kraken? –propuso Folky–, y que él decida.

—Y si, a pesar de todo, decide quedarse la estrella, ¿qué? –replicó Gruilen.

—Entonces, ¿estás decidido a llevar adelante este asunto? –preguntó Crish.

—He de hacerlo..., aunque sea sin vuestra ayuda.

—Eso puede costarte la expulsión del gremio –sentenció Lims.

—Lo sé, pero correré el riesgo.

—Esto no va a gustarle nada a Kraken –dijo una voz anónima.

—Todos sabéis el gran afecto que siento por mi maestro, pero no tengo otra alternativa. Y, como él me enseñó, debo actuar según me dicte mi conciencia.

Su trémula voz delataba lo mal que lo estaba pasando. Dos sentimientos confrontados luchaban en su interior en un combate en el que, ganase quien ganase, él sería el único perdedor. Había tenido que escoger entre su lealtad a Kraken y la vida de Pol y, en verdad, era una decisión terrible.

La sala permaneció en silencio. Multitud de ojos brillaban de expectación. Crish se levantó con la solemnidad que correspondía a su cargo de presidente y anunció a los congregados:

—Miembros del gremio de aprendices: todos hemos escuchado la petición de Gruilen, así como sus argumentos. Ahora, corresponde a los componentes de esta asociación conceder o denegar la ayuda solicitada.

Todos aquellos pequeños corazones cabían ahora en un puño. Una difícil decisión estaba en sus manos. El riesgo era muy alto: se les pedía que desobedecieran algunas normas de la ley de los aprendices y, si los descubrían, para ellos supondría la expulsión.

De nuevo, la voz de Crish atrajo la mirada de los congregados.

—Quienes estén dispuestos a ayudar a Gruilen, asumiendo todos los riesgos que se presenten, que levanten la mano.

Fueron muy pocos los que no se sumaron a aquel bosque de brazos en alto.

La tensión acumulada explotó. Un clamor eufórico ahogó las palabras de Crish, anunciando que la moción de ayuda había ganado por amplia mayoría.

9

El plan

GRUILEN se sentía satisfecho: ya no estaría solo. El gremio de aprendices le apoyaba en su quimérica empresa. Varias voces pidieron silencio y, paulatinamente, los más exaltados fueron callando.

Crish se dirigió de nuevo a la sala:

—Como presidente de esta asociación, tengo el deber de procurar que todo se haga con el mínimo riesgo posible. Para ello, es primordial la elaboración de un plan. ¿Has pensado en algo? –preguntó, dirigiéndose a Gruilen.

—Solo a medias –contestó él, avergonzado–. Dentro de dos días, un pequeño cometa llamado Zbrich pasará casi rozando la Tierra. Si pudiéramos situar a Pol cerca de él, la gravedad del cometa la arrastraría en su viaje por el cosmos. Pero es una idea irrealizable. ¿Cómo se podría enviar a Pol hasta semejante altura?

—¿Atándola al extremo de una caña muy larga? –propuso tímidamente un aprendiz de pocos años, al que burlonas carcajadas hicieron ruborizarse.

—No creo que debamos reírnos de ninguna propuesta –criticó Crish, mirando con severidad hacia el lugar del que habían surgido las carcajadas.

—¿Izándola con una cometa? –propuso alguien que prefirió pasar inadvertido.

—¡Yo creo que tengo la solución! –gritó Lindi, una rubia aprendiza de aerostática–. Un globo de aire caliente puede alcanzar grandes alturas.

Varias voces de aprobación se escucharon en el sótano. La idea parecía bastante buena. Sin lugar a dudas, era el método idóneo para enviar la estrella de Gruilen al encuentro del cometa. Parecía que todo estaba decidido, cuando... una voz profunda hizo converger las miradas en un oscuro rincón. Un muchacho delgado, de cabellos negros como la noche, salió de las sombras.

—No funcionará –fueron sus desesperanza-doras palabras–. Las caprichosas corrientes de aire de la troposfera pueden llevar el globo a cualquier lugar del planeta. Con toda proba-bilidad, perderíamos la estrella.

Un sentimiento de desánimo enfrió el eufóri-co ambiente.

—No es un buen sistema –remató el aprendiz de pirotecnia, que se dio a conocer con el nombre de Graguin.

—¿Entonces…? –preguntó Gruilen, desalen-tado.

—Solo existe un modo de alcanzar esa altu-ra con precisión –dijo Graguin, envolviendo sus palabras en una aureola de misterio–: un cohete.

—¿Un cohete? –preguntó Crish, perplejo–. ¿De esos que se utilizan en los fuegos artificiales?

—En esencia, se trata del mismo principio fí-sico, pero no hablo de un cohete pirotécnico. Sin que mi maestro se diera cuenta, en mis ratos libres he trabajado en un prototipo ex-perimental de cohete que puede alcanzar una extraordinaria altura. Solo hay un pequeño inconveniente: aún no lo he probado. Pero os puedo asegurar que los cálculos realizados para su construcción son correctos.

—Pero ¿fun… fun… cionará? —tartamudeó Gruilen.

—En teoría, sí.

—Tu estrella deberá correr ese riesgo —dijo Crish—, ya que parece el único modo de mandarla al espacio. Además, creo que es justo, ya que todos vamos a arriesgar algo en este asunto.

Gruilen asintió con la cabeza.

—¿Y qué necesitarás para llevar a cabo tu proyecto, aparte de una buena dosis de suerte para que ese cohete tuyo funcione? —ironizó Crish.

—El cohete necesita solo unos pequeños ajustes, pues no está pensado para transportar tripulantes —pensaba Graguin en voz alta—. Una rampa…, eso sí hará falta.

—¿De madera?, ¿de hierro? —interrogó Crish.

—De madera. Te proporcionaré los planos para su construcción.

—De la rampa se podrían encargar Rima y Larpi; son buenos carpinteros –sugirió Lims.

—Gruilen: necesitaré los datos exactos de la trayectoria y la altura del cometa –pidió Graguin.

—Descuida, los tendrás.

—Mañana por la mañana… –exigió Graguin.

—Bien, disponemos de casi dos días para ultimar el lanzamiento –añadió Crish–. Cualquier imprevisto que surja, cualquier cosa que se necesite, comunicádmelo a mí, y yo me encargaré de solucionarlo. La reunión queda clausurada.

Era bien entrada la noche cuando una multitud de pequeñas sombras salió al fresco aire nocturno, desperdigándose por las calles.

* * *

A primera hora de la mañana, Gruilen hizo llegar los datos del cometa a Graguin. Este, oculto entre los innumerables trastos que abarrotaban el desván del taller pirotécnico, realizaba los últimos ajustes a su cohete. Cerca de allí, en el taller de carpintería, Rima y Larpi trabajaban en la construcción de la rampa.

Tronly también madrugó aquel día. Se acercó a la casa de Kraken para cerciorarse de que todo marchaba bien. Dio algunas instrucciones al aprendiz encargado del horno de recocido y aprovechó para iniciar el regateo sobre sus honorarios con el viejo astrónomo, lo que, según la costumbre, se alargaría varios días.

Mientras los dos hombres discutían, Gruilen aprovechó para visitar a Pol. La estrella apenas brillaba. Afligido, intentó animarla contándole sus proyectos. Fue en vano. La tristeza había anidado en el corazón de Pol.

Al mediodía, Gruilen recibió la visita de Graguin.

—Chico, tenemos problemas… –fue el saludo del aprendiz de pirotecnia.

—¿Qué ocurre? –preguntó Gruilen, invitándole a pasar a su habitación.

—He estado haciendo cálculos –explicó Graguin, mostrándole unos sucios papeles llenos de complicadas operaciones matemáticas.

—¿Y?

—Tenemos que lanzar el cohete desde el lugar más alto que podamos..., y el sitio ideal para ello es el observatorio de Kraken.

—¡Maldición!

10

La visita
del maestro del crimen

ERA noche cerrada. Una sigilosa sombra reptaba por las vacías calles de Breislem. Vestía el negro ropaje de los asesinos, ajustado al cuerpo como una segunda piel. En su frente, desafiante, lucía el temible emblema de la víbora. Un grueso cinturón ceñía a su costado un enjoyado puñal.

Con una ganzúa, Zerec, el maestro del crimen, abrió la gruesa puerta de entrada de la casa de Kraken. Silencioso, iluminado por un débil resplandor, se introdujo en la vivienda.

Desde el salón vio cómo un rayo de luz se escapaba por debajo de una puerta. Entreabriéndola con cuidado espió el interior. Dos aprendices de Tronly, hablando de sus cosas, velaban el enfriamiento de la enorme esfera. Zerec sacó de un pequeño bolsillo de la manga, a la altura del hombro, una diminuta bola de cristal y la lanzó a los pies de los dos aprendices. Al estrellarse contra el suelo, un denso humo anaranjado surgió de su interior, ascendiendo con rapidez para envolver a los desprevenidos muchachos. Embriagados por aquel terrible narcótico, cayeron en un profundo sueño. Disipado el humo, Zerec entró en la sala, buscando sin éxito la estrella viva.

Contrariado, regresó al salón. Un ruido de pasos procedentes del torreón lo puso en guardia. Ocultándose entre las sombras, esperó.

La luz de la pequeña lámpara iluminó parte de la sala. Kraken apareció tras ella. Había estado trabajando en el observatorio. Estaba cansado y se retiraba a dormir, inconsciente del peligro que se cernía sobre él. Zerec, saliendo de las sombras, utilizó otra bola de cristal. Cuando se disipó el humo naranja, Kraken dormía plácidamente sobre su cama.

Deshacerse de Hastia, el ama de llaves, fue mucho más sencillo.

Ahora Zerec podía trabajar tranquilo: la casa estaba a su entera disposición.

Todos sus moradores estaban neutralizados. Comenzó entonces una paciente y minuciosa búsqueda por cada uno de los rincones de la casa. Cofres, cajones, armarios…, todo lo que podía esconder una estrella era escudriñado por Zerec.

Su sangre fría se calentaba a medida que se reducían los lugares donde buscar. Estaba muy irritado cuando se detuvo frente a la puerta de la habitación de Gruilen. Llevado por un arrebato de ira, la abrió de una patada. Un débil resplandor lo recibió con indiferencia.

Por fin la había encontrado. Sobre la mesa, dentro de una pequeña esfera de cristal, estaba la estrella viva.

* * *

Gruilen despertó sobresaltado por el estruendo de la puerta al golpear contra la pared. De un brinco se sentó en la cama. Con la mente embotada, observó aterrorizado la siniestra silueta que se recortaba en el hueco de la puerta. Intentó gritar, pero no pudo. No lograba mover ni un solo músculo de su petrificado cuerpo. Gruesas gotas de sudor frío resbalaban por su rostro hasta la comisura de los labios. Estaba perdido.

El maestro del crimen se acercó a Pol con paso lento. Un destello de satisfacción brillaba en sus ojos. Orgulloso, extendió las manos para recoger su trofeo cuando, de pronto, algo se abalanzó sobre él. Gruilen, en un descomunal esfuerzo, había saltado sobre Zerec para arrebatarle la estrella. Cogido por sorpresa, el maestro del crimen retrocedió; no había reparado en el chico. Esto era imperdonable para un asesino como él. El trabajo se complicaba. No era bueno para la gente de su oficio dejar testigos de sus fechorías. Mal asunto, pero fácil de solucionar…

—Bien, muchacho. Dame la estrella y te dejaré vivir –mintió Zerec, alargando la mano abierta hacia Gruilen.

—Nooo… –respondió con un hilo de voz el aprendiz. Las piernas casi no le sostenían a causa del miedo que sentía y su cuerpo temblaba de un modo incontrolable.

—¡No seas idiota! ¡No tienes dónde escoger…! –gritó Zerec, desenvainando su puñal.

Gruilen no osó moverse. Zerec se acercó lentamente al muchacho, amenazándolo con aquella arma. De pronto, ante los atónitos ojos de Gruilen, la afilada hoja se abrió en tres letales puntas. Gruilen gritó aterrado. Intentó retroceder, pero no pudo: la pared se lo impedía. Zerec siguió avanzando. El brillo de sus ojos y del filo de las tres puntas destacaban en la oscuridad de la habitación.

Acorralado, Gruilen buscaba el modo de salir de aquella situación, pero su cerebro, paralizado por el terror, no respondía. Instintivamente, sin saber cómo, se abalanzó sobre Zerec. Este retrocedió con torpeza, derribando la mesa y una silla en un intento de no perder el equilibrio, momento que Gruilen aprovechó para correr hacia la puerta. Pero el asesino, incorporándose con rapidez, lo impidió cerrando la puerta de un manotazo.

Fracasado su intento de huida, Gruilen corrió al otro extremo de la habitación. En un último esfuerzo utilizó los libros y objetos de una estantería como proyectiles. Pero estos se acabaron pronto. Estaba en manos de aquel criminal. Impotente, lloró de rabia.

Con los brazos en jarras, Zerec rió estrepitosamente, seguro de su poder y su maldad.

—Ya ves, no se puede luchar contra mí –fanfarroneó–. ¡Dame la estrella!

—¡No! –dijo Gruilen, resignándose a su suerte.

El maestro del crimen resopló. Con la muerte en los ojos, avanzó hacia el muchacho. Estaba dispuesto a aumentar su número de víctimas.

Gruilen, agachando la cabeza, abrazó con fuerza a Pol. Parecía que había llegado su fin. Entonces, la débil luz de la estrella aumentó de intensidad. Como un sol al mediodía, iluminó la habitación. El resplandor era tan fuerte que cegó a Zerec. Este retrocedió, protegiéndose con el antebrazo los lastimados ojos. Gruilen, sin comprender lo que estaba sucediendo, sintió cómo la fuerza crecía en su corazón. Una poderosa energía corrió por sus venas, expulsando el miedo que paralizaba su cerebro, sus músculos, sus nervios… Aquella sombra de muerte ya no le asustaba. La estrella estaba con él.

Erguido, desafiante, señalando con el índice de su mano derecha a Zerec, Gruilen le ordenó:

—¡Vete, vete y no vuelvas más por aquí, rata asquerosa!

Zerec, herido en su orgullo, no pudo disimular el odio que sentía hacia el chico. Aquel mocoso estaba desbaratando sus planes. Ciego de ira, se lanzó sobre él. Pero antes de que pudiera tocarle un solo cabello, un potentísimo rayo de luz surgió del dedo índice de Gruilen, golpeando a Zerec en el pecho. Era tanta la fuerza de aquel haz luminoso que lo levantó del suelo, lanzándolo contra la pared.

El rostro de Zerec se desfiguró. La situación se le escapaba de las manos. Y lo peor de todo era que no sabía cómo controlarla. Intentó levantarse, pero el rayo de luz se lo impidió.

Maldijo y perjuró, pero no le sirvió de nada. Gruilen continuaba señalándolo con aquel dedo que irradiaba la energía de la estrella.

La luz se desvaneció de pronto y Zerec pudo levantarse del suelo. De pie, con los ojos inyectados de odio, se enfrentó a Gruilen. Este, sereno, sin miedo, aguantó su mirada.

Colérico, el maestro de asesinos cargó de nuevo contra el aprendiz, pero su suerte le había abandonado. Tropezando con uno de los libros que había servido como proyectil, volvió a morder el polvo. Su aspecto era tan cómico que Gruilen no pudo reprimir una estruendosa carcajada.

Zerec se sintió avergonzado, humillado, acabado. No solo había sido vencido por un simple muchacho, sino que, encima, Gruilen se reía de él.

—¡Fuera de aquí, vete! –gritó el aprendiz, riendo sin cesar–. ¡Vete, vete, patán!

Zerec se levantó y volvió a tropezar. Sus movimientos se habían vuelto torpes. La risa de Gruilen lo desgarraba por dentro. Retrocedió como pudo hacia la puerta. Su cerebro no asimilaba aquella nueva situación. Él, el rey del crimen, sentía pánico por primera vez. No podía comprenderlo…, pero así era. El miedo había penetrado en el gélido corazón de Zerec, el asesino.

Salió huyendo de la habitación de Gruilen, rebotando por los pasillos de la casa hasta alcanzar la calle. Allí continuó su desesperada carrera sin mirar atrás, perseguido por las carcajadas del aprendiz. Ahora Zerec tenía miedo hasta de su propia sombra.

11

El día del lanzamiento

AL día siguiente, Gruilen despertó abrazado a Pol. Su cuerpo dolorido y la habitación desordenada le recordaron la peligrosa visita de la noche anterior. También recordó que, cuando Zerec huyó, él había caído en un profundo sueño, agotado por el esfuerzo. De repente, pensó en Kraken y Hastia. Corrió a sus habitaciones, temeroso de que también hubieran sufrido un encuentro con Zerec. Pronto se tranquilizó: los dos dormían plácidamente, sin visibles síntomas de violencia. Cuando salía de la habitación de Hastia, oyó que alguien llamaba a la puerta. Fue a abrir, no sin antes tomar ciertas precauciones. No descartaba la posibilidad de que intentaran robar de nuevo a Pol. Armado con un palo, entreabrió la puerta. Era Tronly, quien, como cada mañana, pasaba a cerciorarse de que todo marchara bien.

—Buenos días, muchacho. ¿Dónde está el viejo cascarrabias? –preguntó con aire burlón.

—Aún duerme.

—En ese caso, no le molestes –dijo Tronly, traspasando el umbral de la puerta–. Solo quiero ver cómo van las cosas en el horno de recocido.

No tardó en oírse un chillido procedente de la Sala de las Estrellas. Gruilen salió disparado en aquella dirección, con el palo en alto. Encontró a Tronly presa de un ataque de nervios.

—¿Cómo ha podido ocurrir? –se preguntaba el maestro vidriero, dando vueltas alrededor del horno totalmente apagado.

Gruilen advirtió que los dos aprendices de Tronly dormían como lirones. No fue fácil despertarlos; parecían atontados. Tenían los ojos rojos y la tez tan blanca como la harina.

—¿Qué ha ocurrido aquí? –gritó Tronly, tirándoles de la ropa.

—Nosotros… –balbuceó uno de ellos, intentando explicar lo inexplicable.

—¡Me voy a volver loco! –gritó de nuevo Tronly, cogiéndose la cabeza con ambas manos.

La ronca voz de Kraken resonó a sus espaldas. También él tenía mal aspecto.

—¡Por todos los diablos! ¿Queréis dejar de chillar?

Gruilen observó que Kraken presentaba los mismos síntomas que los dos aprendices y así se lo comunicó a Tronly.

—¡Cielos! ¡Es verdad lo que dices! –confirmó el maestro vidriero–. A lo mejor se trata de una epidemia.

—No digas tonterías –replicó Kraken–. Estos son los típicos efectos de un narcótico. Alguien nos ha drogado.

—¿No estarás insinuando que habéis tenido visita esta noche?

—Sí, eso mismo es lo que estoy diciendo.

—¡La estrella! –vociferó de pronto Tronly–. ¡Maldito mercader! Alguno de los esbirros de Sebástian os ha drogado y se ha llevado la estrella.

—Es posible… –agregó Kraken.

—¡Nadie se ha llevado la estrella! ¡Aún está en su sitio! –se apresuró a decir Gruilen.

No era prudente que fueran a su habitación y lo vieran todo patas arriba. Tendría que dar demasiadas explicaciones y eso le ocasionaría problemas.

—Me alegro de veras –dijo Kraken, dando un suspiro.

—No se han llevado la estrella, pero han dejado apagarse el horno de recocido –masculló Tronly, indignado–. Es muy probable que el cambio brusco de temperatura haya roto la esfera.

—No tiene por qué ser así. Puede que el horno no se haya apagado de golpe, sino lentamente.

—Quizá tengas razón –dijo Tronly más animado–. Cerciorémonos antes de lamentarnos –indicó al maestro astrónomo.

Todos se aproximaron al horno. Aún despedía un poco de calor. Con el corazón en un puño, Tronly abrió la puerta. Una bocanada de aire caliente le golpeó la cara. Metió la cabeza en el interior y miró. Con la luz de algunas brasas que se resistían a morir, la vio: estaba intacta, hermosa, grandiosa…, y se había solidificado perfectamente.

—No se ha roto –informó Tronly, con una sonrisa que apenas le cabía en la cara.

Todos, menos Gruilen, suspiraron aliviados. Él era el único de los presentes que sabía que aquel esfuerzo era inútil. Aquella perfecta esfera de cristal transparente jamás se utilizaría para lo que había sido creada: guardar a Pol.

* * *

Aquella misma tarde empezaron a desmontar los hornos, aunque sin prisa alguna. Habían decidido llevar a cabo el trabajo más duro la mañana siguiente.

Gruilen estuvo todo el día nervioso. Las horas pasaban y se acercaba el momento del lanzamiento. Según los cálculos de Graguin, esa era la noche en que el cometa Zbrich estaría más cerca de la Tierra en su viaje cósmico. Después se alejaría a gran velocidad. Para disponer del máximo de posibilidades, el despegue debía efectuarse aquella misma noche. Pero faltaba un problema por resolver: ¿cómo alejar a Kraken del observatorio aquella noche?

Como si el cielo hubiera escuchado los deseos de Gruilen, se produjo el milagro. Cuando todos se fueron, Kraken llamó a su aprendiz.

—Muchacho, hoy tendrás que hacer mi trabajo –le dijo Kraken, revolviéndole los cabellos con su arrugada mano, en un gesto de simpatía–. No me encuentro nada bien. Supongo que debe de ser a causa de los efectos secundarios de la droga.

Gruilen, boquiabierto, asintió con la cabeza. Su maestro le dejaba el campo libre. El lanzamiento podría efectuarse sin impedimentos.

—Acuérdate de anotar en el libro cualquier alteración que observes.

—Sí, señor. Lo haré.

Kraken se retiró a su habitación. Un poco antes lo había hecho la anciana Hastia. El sueño les haría bien; quizá por la mañana se encontrasen mejor.

Gruilen envió un mensaje a Crish: «El campo está libre».

* * *

Ya era tarde cuando llamaron a la puerta. Se trataba de Buzz, un alegre muchacho de enormes orejas que desprendía un agradable y embriagador aroma, un aroma que solo podía proceder de la casa del maestro herbolario. No en vano, Buzz era su aprendiz.

—¿Llego demasiado pronto?

—No –respondió Gruilen, haciéndole pasar.

—¿Dónde dejo esto? –preguntó Buzz, mostrándole el fardo que llevaba en brazos.

—Súbelo al observatorio –dijo, señalándole el camino–. Y procura no hacer ruido.

Buzz había sido el primero en acudir a la hora convenida. Los demás no tardaron en imitarle. A medida que iban llegando, Gruilen los mandaba a lo alto de la torre. Allí, sin perder tiempo, cada uno procedía a ocuparse de su cometido.

Ya sólo faltaban Crish y Graguin. Nervioso, Gruilen los esperaba en la puerta de la casa.

Por fin aparecieron al final de la calle, cargando un alargado bulto.

—¡Ya era hora! –protestó Gruilen.

—Tranquilo, chico –dijo Crish, empapado en sudor–. Esto pesa como un muerto.

Mientras Crish y Graguin subían aquel extraño fardo a lo alto de la torre, Gruilen corrió a su habitación para recoger a Pol.

La mortecina luz de la estrella lo recibió. Gruilen se detuvo frente a ella, mirándola por última vez. Una extraña sensación le oprimía el estómago. Haciendo un esfuerzo, abrió la pecera, sacó la estrella de su cárcel transparente y salió corriendo hacia el observatorio.

Aquello parecía un hormiguero. Los dos aprendices de carpintero, Larpi y Rima, ya habían montado la rampa por la cual se deslizaría el cohete en el despegue. Un grupo de jóvenes colocaba sobre ella el extraño artefacto, bajo la dirección de Graguin. Todo se desarrollaba con rapidez. El cohete, sobre la rampa, apuntaba al oscuro cielo a través de una gran ventana.

—¡Vamos, Gruilen, coloca la estrella en su sitio! –gritó Graguin–. El tiempo apremia.

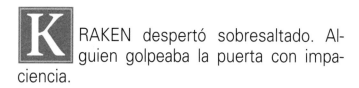

La cosa se complica

KRAKEN despertó sobresaltado. Alguien golpeaba la puerta con impaciencia.

—¡Demonios! ¿Quién alborota tanto a estas horas? –se preguntó malhumorado–. ¡Ya voy! –exclamó al oír nuevos golpes.

Calzándose unas zapatillas y cubriéndose con su bata de terciopelo salió a abrir. Parecía encontrarse mejor. Al menos había recuperado su mal genio.

Al abrir unos centímetros la puerta, algo se le echó encima. Era Sebástian. Resoplaba como un asno cansado. Su cara estaba roja y sudorosa. La ira y el odio brillaban en sus ojos.

—Pero…

—¡Maestro de idiotas! –vociferó Sebástian, sin darle tiempo a reaccionar–. ¡Están robándote la estrella en tus narices, y tú sin enterarte!

—¿Robándome qué? ¿Quién? –preguntó Kraken, confundido.

—¡La estrella! ¡Maldito tonto!

—Pero… ¿no eras tú quien quería robarla? –añadió el viejo con aire divertido.

—No digas tonterías; yo solo quería comprarla.

—Entonces, ¿quién?

—Tu querido aprendiz, imbécil –contestó Sebástian–. Me han informado de que él, confabulado con otros de su ralea, en estos momentos están lanzando esa joya al espacio.

—¿Mi aprendiz? ¿Gruilen? ¡Imposible! Él nunca haría algo así sin comunicármelo –replicó Kraken, enfurecido por las calumnias de que estaba siendo objeto su aprendiz–. No sabes lo que dices.

—¿Que no sé lo que digo? Llévame al observatorio y te lo demostraré, viejo carcamal –le desafió Sebástian.

—De acuerdo –aceptó el viejo.

Como una furia, Sebástian se lanzó en una frenética ascensión hacia lo alto de la torre, seguido por sus dos corpulentos guardaespaldas.

—¿Quién es tu informador? –preguntó turbado el viejo.

—Un aprendiz amante del oro. No sabes lo que pueden hacer unas monedas en el bolsillo de un ambicioso –respondió Sebástian mientras luchaba por subir, peldaño a peldaño, sus excesivos kilos.

—Y... ¿qué te ha contado?

—Que tu aprendiz consiguió comunicarse con la estrella.

Kraken escuchaba en silencio.

—Parece ser que ella perdía energía, y el muy estúpido creyó que se estaba muriendo, así que no se le ha ocurrido nada mejor que devolverla al cielo. ¡Menuda estupidez!

* * *

Todo estaba a punto. Habían trabajado rápido. El cohete, con su panza sobre la rampa, esperaba al pasajero. Gruilen, presa de un tonto sentimentalismo, se resistía a desprenderse de Pol.

—No irás a echarte atrás ahora –le dijo Crish.

—No –susurró Gruilen–. Claro que no.

Acercó la pequeña Pol a sus labios y la besó. Aquello era el adiós definitivo. Después la introdujo en el diminuto orificio donde permanecería durante su viaje. Cerró la puertecilla y cruzó los dedos. Ahora solo faltaba ver si el cohete funcionaba tal como esperaban.

El estruendo de la trampilla al abrirse y golpear el suelo sobresaltó a todos los muchachos. Como un diablo saliendo de los infiernos apareció Sebástian, sofocado, sudoroso, iracundo...

—¡Deteneos, malditos críos! ¡Deteneos!

—¡Graguin, enciende la mecha! –gritó Crish–. ¡Rápido!

Sebástian se lanzó hacia el cohete en una grotesca carrera. Un grupo de aprendices intentó impedírselo, pero el mercader los arrolló. Fueron necesarios algunos más para inmovilizarlo. Graguin, nervioso por el giro que habían tomado los acontecimientos, no atinaba a encender la mecha.

—¡Date prisa! –le apremió Crish, que luchaba con una de las piernas del mercader–. No podremos sujetarle mucho más tiempo.

Sebástian se retorcía y chillaba como un animal enfurecido. Entonces, para agravar más la situación, por el hueco de la trampilla aparecieron los dos guardaespaldas del mercader. Al ver a su amo en el suelo, atacado por una horda de locos muchachos, intentaron rescatarlo. La empresa no era fácil, pues aquellos chiquillos pegaban, arañaban y mordían como verdaderos expertos. Era una batalla campal en toda regla.

—¡Basta ya!

La voz de Kraken resonó en la cúpula. El respeto que su edad, sus conocimientos y también su mal genio inspiraban hizo que todos los aprendices le obedecieran y abandonasen la lucha.

—¿Ves como yo tenía razón? ¡Esas ratas tienen la estrella! –gritó histérico el mercader.

Ignorando por completo a Sebástian, Kraken avanzó hacia Gruilen. Su rostro estaba serio, muy serio. Los demás aprendices se apartaban a su paso. Gruilen, con los ojos clavados en el suelo, esperaba con resignación el momento que tanto había temido.

Kraken se detuvo frente a él.

—¿Tan poca confianza tienes conmigo? –preguntó el viejo a su aprendiz, que no osaba levantar la mirada.

—Yo… –balbuceó Gruilen.

—¿Acaso me como a mis aprendices? –preguntó de nuevo, levantándole la barbilla con la punta de los dedos, hasta que sus miradas se encontraron.

—No, yo, es que… –intentó explicar torpemente el muchacho, con lágrimas en los ojos.

—Ya hablaremos de eso en otro momento –le interrumpió Kraken. Una ligera sonrisa se dibujó en su rostro al recordar los tiempos en que él también fue aprendiz. ¡Y menudo aprendiz…! Kraken había sido el tormento de su maestro. Pero, bueno… Aquellos eran otros tiempos–. ¿Dónde está la estrella? –preguntó.

Gruilen señaló el cohete. El viejo, apoyándose en su hombro, hizo que el aprendiz le acompañara hasta la extraña máquina. Durante unos minutos la observó detenidamente. Todos contenían la respiración, esperando la reacción del maestro astrónomo.

—¿Lo has construido tú? –preguntó de repente a Graguin, que dio un respingo, asustado.

—Sí, he sido yo... –contestó atropelladamente.

—Parece un buen trabajo. ¿Crees que alcanzará el cometa? –volvió a preguntar, a la vez que abría la portezuela de la pequeña cabina.

—Eso creo, señor.

—¿Irá segura en el viaje? –añadió, señalando la estrella.

—Claro que sí, señor –aseguró Graguin.

—Espero que tu invento funcione, muchacho, ya que llevará como pasajera la mejor pieza de mi colección. Bien, ¿a qué esperas para encender la mecha?

Graguin, atónito, no reaccionaba.

—Vamos, chico, date prisa; ya hemos perdido demasiado tiempo.

Graguin prendió la mecha. Todos retrocedieron, apartándose del cohete. La mecha se acortaba rápidamente. Sebástian no daba crédito a sus ojos. De pronto, una potente explosión los sobresaltó. Una llamarada roja surgió de la cola del artefacto. El observatorio se llenó de un humo blanco. Entre toses, el cohete se deslizó por la rampa a gran velocidad, atravesando el hueco de la ventana, hacia el cielo. Como un lápiz muy afilado, dibujó una fina línea roja en el firmamento. Todos miraban hipnotizados cómo el cohete ascendía a una velocidad vertiginosa, hasta que la noche se lo tragó.

—Veamos si tus cálculos son correctos –dijo Kraken mirando por el telescopio.

Durante un buen rato siguió la trayectoria del cohete mientras los demás esperaban con impaciencia. Los segundos se convirtieron en minutos…, los minutos, en horas.

Por fin, el viejo astrónomo apartó los ojos del visor. Los frotó con sus puños y observó a los muchachos. Estos contenían la respiración.

—El cohete ha llegado a su destino –confirmó Kraken, haciéndoles un guiño–. Lo habéis conseguido, pillastres.

El clamor fue general. Todos se felicitaban, se abrazaban, bailaban, gritaban, saltaban, lloraban… Era una explosión de alegría. El proyecto había sido un éxito. Graguin era el héroe del día. Su cohete prometía… Aquel solo había sido un pequeño prototipo. Quizá más adelante, con uno mayor, alcanzaría la Luna.

Gruilen también estaba contento. Ahora, gracias a él y a sus compañeros, Pol brillaría en el firmamento los próximos cien mil años.

13

Pol

EL cohete llegó puntual a la cita con el cometa. Este se quedó atónito al ver a Pol salir de aquel extraño artefacto. Y se sorprendió aún más cuando la estrella se aferró a él como un niño en busca de amparo. Al principio le molestó aquella intromisión, pero, a pesar de ser un cometa solitario y lleno de manías, no tardó en encontrar agradable su compañía.

Cuentan que permanecieron juntos muchísimo tiempo. Zbrich le explicó el sinfín de cosas extraordinarias que había visto en su deambular por el espacio, y Pol le contó la historia de un muchacho llamado Gruilen que emocionó mucho al cometa.

Pero las estrellas crecen y a los viejos cometas se les agotan las historias. Un día decidieron seguir caminos distintos. Zbrich continuó su viaje sin fin a través de un nuevo universo que tenía interés en conocer. Pol, por el contrario, buscó un lugar donde establecerse y brillar como siempre había soñado. Tenía que ser un lugar especial, un lugar que Gruilen, a quien no había olvidado, pudiera ver desde su planeta.

* * *

Una noche, muchos años después, el famoso y respetado astrónomo de Breislem contaba las estrellas como siempre había hecho su maestro. Y encontró que había una de más. Sorprendido, volvió a contarlas y, en efecto, no se había equivocado. Había una más. Era una estrella resplandeciente, casi tanto como el planeta Venus.

Durante las noches que siguieron descubrió en ella cosas que la hacían diferente a las demás. Una de esas diferencias, quizá la más sobresaliente, era que la rotación de la Tierra no influía en su posición en el espacio. Siempre permanecía en el mismo lugar. Asimismo, su situación se correspondía con el norte terrestre. Era un descubrimiento extraordinario. Un punto de referencia en el cielo.

Gruilen, el viejo Gruilen, se sintió feliz de su gran hallazgo y decidió ponerle un nombre. La llamó Pol, en recuerdo de aquella estrella que tanto estimó. Y desde aquel día, hasta el final de su vida, la contempló con afecto cada noche.

* * *

Cuando la historia de Gruilen y los que en ella intervinieron fue olvidada; cuando nuevas y florecientes culturas alcanzaron su esplendor y luego desaparecieron; cuando los hombres pusieron nuevos nombres a las cosas…, y a una estrella en particular; a una estrella que, a causa de la edad, había perdido parte de su brillo; a una estrella que todavía indicaba el norte terrestre con bastante exactitud…, a esa estrella, la llamaron *estrella Polar*.

Fin

alta mar

Taller de lectura

El coleccionista de estrellas

1. Lugar y espacio

1.1. El prólogo de la obra nos habla de un parvulario situado en una minúscula galaxia. Haz memoria y contesta estas preguntas:

- ¿Qué sucede en ese parvulario?

....

- ¿Cómo se llama la estrella más pequeña de la guardería?

....

- ¿Dónde juegan las estrellas mientras tejen dibujos de vivos colores?

....

1.2. Indica los dos espacios fundamentales en los que transcurre la historia de *El coleccionista de estrellas*.

....

1.3. Dibuja en tu cuaderno un mapa imaginario de alguno de los lugares que se nombran en el libro, y de otros que te inventes. Marca en él la ruta que te gustaría recorrer.

1.4. Cuando viajas, ¿qué medio de transporte prefieres utilizar, y cuál es el que menos te gusta? ¿Por qué?

....

....

....

....

Y, si ahora mismo pudieras emprender un viaje, ¿adónde te gustaría ir? ¿Por qué?

....

....

....

....

2. Luces y colores

A lo largo del libro, la luz es una presencia constante (por ejemplo, la luz de las velas, la de las descargas eléctricas, la de las luciérnagas, el resplandor del horno...).

2.1. En el prólogo de la obra has leído que, mientras las estrellas juegan en el patio del parvulario, Pol cae al vacío.

• ¿Qué les sucede a los colores y a las estelas de las estrellas en ese momento?

....

• ¿Cómo describirías tú «el color del miedo»?

....

• ¿Y «el color de la tristeza»?

....

• ¿Qué clase de luz desprenderán «las estelas de peligro»?

....

2.2. Pol despide luz y energía en algunos momentos de la historia. ¿Sabrías decir en cuáles? Anótalos en tu cuaderno.

3. Sensaciones y sentimientos

3.1. En el primer capítulo del libro, el maestro Kraken le pregunta a Gruilen si está asustado. El aprendiz le contesta que no, aunque en realidad le tiemblan las piernas. ¿Cuál crees que es la causa de su miedo?

....

El joven aprendiz Gruilen vuelve a sentir miedo en otros momentos del libro. ¿En cuáles?

....

....

3.2. En el capítulo sexto, el maestro Kraken también experimenta miedo cuando recibe la visita de un siniestro personaje...

* ¿De quién se trata?

....

* ¿Cuál es el motivo de su visita?

....

* ¿Cómo atemoriza ese personaje al viejo astrólogo?

....

3.3. En este libro, hasta las estrellas tienen sentimientos. La pequeña Pol siente nostalgia, desesperanza, melancolía..., e incluso llega a llorar. Cuando esto sucede, a Gruilen le invade un sentimiento muy parecido al de la estrella.

¿Cuándo ha sido la última vez que, al ver triste a alguien, tú también has sentido tristeza?

....

....

3.4. Busca y escribe el sentimiento opuesto....

• a la tristeza: ....

• al odio: ....

• al miedo: ....

• a la desesperanza: ....

3.5. Intenta definir el sentimiento más profundo que guardas dentro de tu corazón.

....

....

¿Cómo sueles manifestar ese sentimiento?

....

4. Los personajes

4.1. Clasifica los siguientes personajes en protagonistas, antagonistas y personajes secundarios, poniendo una cruz en la casilla que corresponda. (Fíjate en el ejemplo).

Personaje	Protagonista	Antagonista	Personaje secundario
Gruilen	X		
Sebástian			
Kraken			
Pol			
Hastia			
Zerec			
Tronly			

4.2. Siempre que leemos un libro, nos formamos una opinión muy concreta de los personajes que aparecen en él. De todos los que aparecen en esta historia... ¿Cuál te resulta más simpático? ¿Y más antipático?

....

....

Razona en tu cuaderno las respuestas.

4.3. Ahora vas a comentar más cosas sobre Pol.

• ¿Qué tipo de personaje es?

....

....

....

• ¿Es habitual que en los libros aparezcan personajes como Pol o, por el contrario, crees que es un personaje algo «especial»?

....

....

....

• ¿Te parece correcta la siguiente afirmación? (Razona tu respuesta).

Pol es un personaje inanimado al que el autor ha dado vida mediante un recurso literario llamado *personificación*.

....

....

....

5. Del libro a la literatura

5.1. Imagina que eres un periodista y tienes que escribir un artículo sobre el libro que acabas de leer.

Primero debes indicar su título, el género literario al que pertenece, el nombre de su autor y el de su ilustrador, la editorial, la colección a la que pertenece y su número de páginas.

Después añade tu comentario crítico sobre la lectura: si te ha gustado o no, si se la recomendarías a alguien, etc.

- Título: ....
- Género: ....
- Autor: ....
- Ilustrador: ....
- Editorial: ....
- Colección: ....
- N.º de páginas: ....
- Comentario: ....

....

....

....

5.2. En los cuentos y en las novelas, la acción suele dividirse en tres partes: a) *introducción* o *planteamiento,* b) *nudo* y c) *desenlace* o *solución.*

¿Te atreves a distribuir los hechos de este libro en esas tres partes?

a) *Introducción* o *planteamiento:* ....

....

....

b) *Nudo:* ....

....

....

c) *Desenlace o solución:* ....

....

....

5.3. La lectura de este libro ¿te ha recordado el argumento de alguna película? Coméntalo.

....

....

6. Siguiendo el rastro de las palabras

6.1. Las palabras son imprescindibles para escribir, para hablar, para comunicarnos. En este libro aparecen muchas palabras que hacen referencia a la astronomía.

- ¿De qué se ocupa esta ciencia?

....

....

....

....

....

- ¿En qué se diferencia de la astrología?

....

....

....

....

- ¿Qué aparato de alta tecnología es imprescindible para observar y estudiar los astros? (Encontrarás una pista en la ilustración de las páginas 12 y 13 del libro).

....

6.2. Algunas de las palabras que solemos utilizar son compuestas; por ejemplo, *microscopio, telepatía...*

Añade tú otras: ....

....

6.3. Hay otro tipo de palabras que a veces cobran más sentido y fuerza cuando las comparamos con sus contrarias o antónimas; por ejemplo: día – noche; reír – llorar; blanco – negro.

Escribe tú otras parejas de palabras antónimas.

.... – ....

.... – ....

.... – ....

6.4. Y también hay palabras que son equivalentes o sinónimas de otras; por ejemplo: colorado – rojo; claro – luminoso.

Continúa tú la lista.

.... – ....

.... – ....

.... – ....

7. Por las galaxias de la música

7.1. ¿Eres aficionado a la música?

Encuentra seis estilos de música distintos en esta sopa de letras. Después, escríbelos debajo, según tu orden de preferencias.

F	M	L	K	B	X	B	J	A	K
E	O	A	L	A	P	Q	S	C	R
T	C	L	I	K	Z	X	O	L	M
D	G	E	C	A	F	R	O	A	E
H	K	U	J	L	T	V	Y	S	Z
T	A	Z	F	A	O	Z	X	I	N
P	R	R	U	O	M	R	P	C	O
A	S	A	L	S	A	U	I	A	B
K	E	Z	S	E	Q	A	L	C	D
J	I	M	E	Z	P	Y	I	X	A

1.º: ....

2.º: ....

3.º: ....

4.º: ....

5.º: ....

6.º: ....

7.2. ¿Sabrías definir en pocas palabras qué es para ti la música?

....

....

....

....

....

....

7.3. Escribe las palabras que faltan en los siguientes fragmentos del texto:

• *«Gruilen sacó rápidamente de una pequeña arca una extraña .... con numerosos agujeros. Según parece, tenía la extraña propiedad de hacer brillar los cuerpos celestes con su ....».*

• *«... Gruilen cambió sus ropas mojadas por otras secas. Después, Hastia le secó los cabellos mientras susurraba una antigua ....».*

• *«La expectación era total. Solo la alegre .... que silbaba Tronly rompía el solemne silencio».*

8. Problemas y soluciones

8.1. En el libro *El coleccionista de estrellas* se plantean una serie de problemas que van resolviéndose a lo largo de la historia.

Aquí te señalamos algunos, con sus respectivas soluciones. Únelos mediante flechas.

- Gruilen quiere
  ayudar a Pol
  a volver al espacio,
  y para ello...

- ... un cohete
  para enviar
  a Pol
  al espacio.

- El gremio
  de aprendices
  decide
  construir...

- ... solicita
  la ayuda
  del gremio
  de aprendices.

- Para guardar
  la estrella viva,
  Kraken
  necesitaba...

- ... contrata
  a Zerec,
  el maestro
  de los criminales.

- Para apropiarse
  de la estrella,
  el mercader
  Sebástian...

- ... una esfera
  de cristal de
  grandes
  dimensiones.

8.2. Algunas personas se acobardan ante los problemas; en cambio, hay otras que se crecen ante las dificultades.

¿Cómo reaccionas tú frente a los problemas?

....

....

¿Sueles pedir ayuda a alguien para resolver tus problemas, o prefieres solucionarlos tú solo?

....

....

8.3. En el capítulo décimo, Gruilen logra hacer frente al terrible Zerec, el maestro de los asesinos, con la ayuda de Pol.

• ¿Cómo se manifiesta el poder de la estrella?

....

....

• ¿Cómo reacciona Zerec ante ese poder?

....

....

....

8.4. Tal vez, la magia de esta historia reside en el amor que Gruilen siente por Pol. ¿Crees que es precisamente ese cariño lo que libera a la estrella? Razona tu respuesta.

....

....

....

8.5. ¿Qué te parece más importante: vencer por la fuerza, o convencer mediante el amor? ¿Por qué?

....

....

....

8.6. Al final de la historia, Gruilen aparece convertido en maestro astrónomo. Es el sucesor de Kraken. Una noche, descubre una nueva estrella en el firmamento y, en recuerdo de aquella otra a la que había liberado, decide llamarla Pol.

Muchos, muchos años después, los hombres pusieron nuevos nombres a las cosas.

¿Recuerdas cómo decidieron llamar a esa estrella?

....

8.7. A veces, dos seres sintonizan y se establece entre ellos una relación que va más allá de las palabras; es como si se transmitieran el pensamiento. Eso mismo es lo que sucede entre Gruilen y Pol.

¿Consideras que, si todos fuéramos capaces de sintonizar de esa manera con nuestros semejantes, solucionaríamos los problemas de la humanidad?

....

....

....

9. Secretos

9.1. Guardar un secreto a veces llega a convertirse en algo muy difícil. En el capítulo cuarto, el maestro vidriero Tronly se compromete a no revelar el secreto de la estrella viva, pero no tarda mucho en romper su promesa.

¿Sueles tú cumplir tus promesas? ¿Crees que a veces hay motivos que justifican el hecho de romper la palabra dada? Razona tus respuestas.

....

....

....

....

9.2. Todos los aprendices deciden colaborar con Gruilen para ayudar a Pol. Pero, casi al final de la historia, descubrimos que uno de ellos ha traicionado la confianza del resto.

¿Qué motivo le ha impulsado a actuar así?

....

....

....

9.3. Recuerda la escena en la que Sebástian le anuncia a Kraken que su aprendiz le está robando la estrella. El viejo astrónomo se resiste a creerlo, pero no tarda en descubrir la verdad de las palabras del mercader.

¿Cuál es la reacción de Kraken al descubrir el plan de Gruilen?

....

....

10. El final del viaje

10.1. Casi hemos llegado al final de nuestro viaje. En él hemos visitado el espacio sideral, nos hemos hecho amigos de una estrella y hasta hemos surcado los abismos celestes montados en la cola de un cometa.

Antes de emprender un nuevo viaje, contesta estas preguntas de forma razonada.

• ¿Qué prefieres: la Tierra o la bóveda celeste?

....

• ¿Vivir en España o en la estrella Polar?

....

- ¿Ser persona o ser estrella?

....

- ¿Pasear por el más allá o por el más acá?

....

10.2. Y ahora, para que Pol tenga noticias tuyas, envíale una postal. Dile que algún día irás a visitarla y, mientras tanto, sueña con la manera de hacerlo…

¡Ánimo! ¡Te espera un largo viaje!

Índice

Series de la colección

Últimos títulos

A partir de 10 años